# わたしが
# あなたを
# 選びました

鮫島 浩二

絵・植野 ゆかり

おとうさん、おかあさん、

あなたたちのことを、こう、呼ばせてください。

あなたたちが仲睦まじく結び合っている姿を見て、
わたしは地上におりる決心をしました。
きっと、わたしの人生を豊かなものにしてくれると感じたからです。

汚れない世界から地上におりるのは、勇気がいります。
地上での生活に不安をおぼえ、途中で引き返した友もいます。
夫婦の契りに不安をおぼえ、引き返した友もいます。
拒絶され、泣く泣く帰ってきた友もいます。

あなたのあたたかいふところに抱かれ、今、
わたしは幸せを感じています。

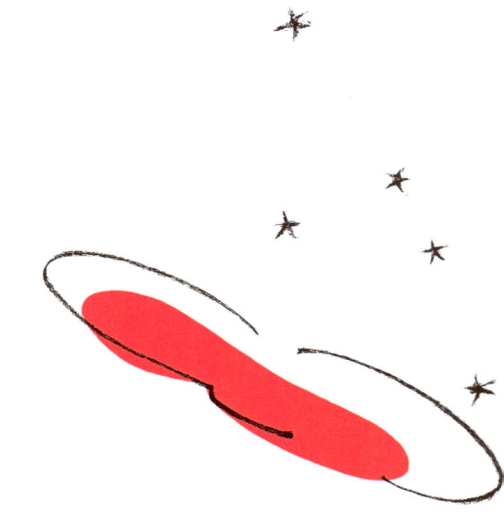

おとうさん、
わたしを受け入れた日のことを、あなたはもう思い出せないでしょうか？

いたわり合い、求め合い、

結び合った日のことを。

永遠に続くと思われるほどの愛の強さで、

わたしをいざなった日のことを。

新しい〝いのち〟のいぶきを、

あなたがフッと予感した日のことを。

そうです、あの日、

わたしがあなたを選びました。

おかあさん、
わたしを知った日のことをおぼえていますか?

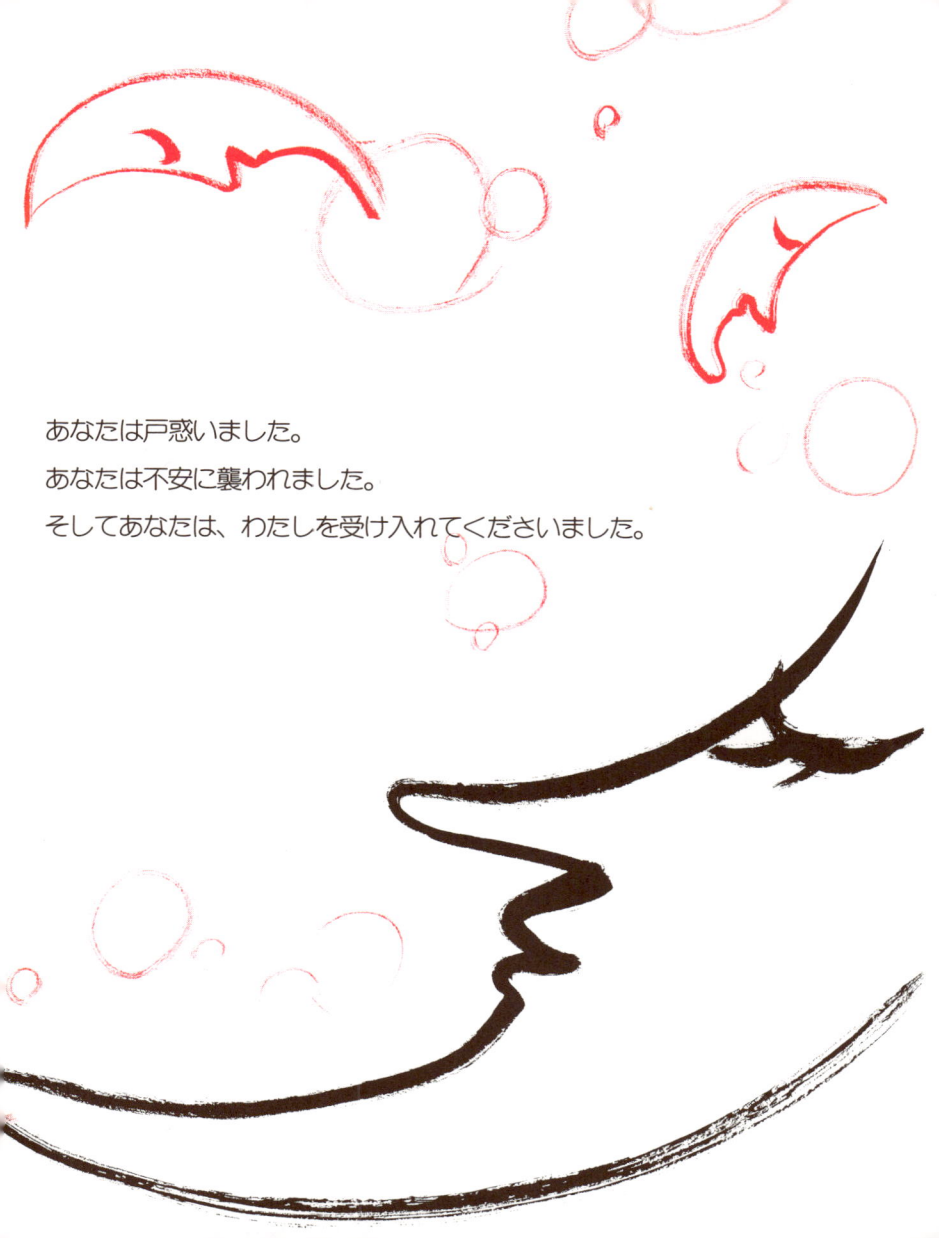

あなたは戸惑いました。
あなたは不安に襲われました。
そしてあなたは、わたしを受け入れてくださいました。

あなたの一瞬の心のうつろいを、わたしはよーくおぼえています。
つわりのつらさの中でわたしに思いをむけて、自らを励ましたことを、
わたしをうとましく思い、もういらないとつぶやいたことを、
わたしの重さに耐えかねて、自分を情けないと責めたことを、
わたしはよーくおぼえています。

おかあさん、
あなたとわたしはひとつです。

あなたが笑い喜ぶときに、わたしは幸せに満たされます。
あなたが怒り悲しむときに、わたしは不安に襲われます。
あなたが憩いくつろぐときに、わたしは眠りに誘われます。
あなたの思いはわたしの思い、あなたとわたしは、ひとつです。

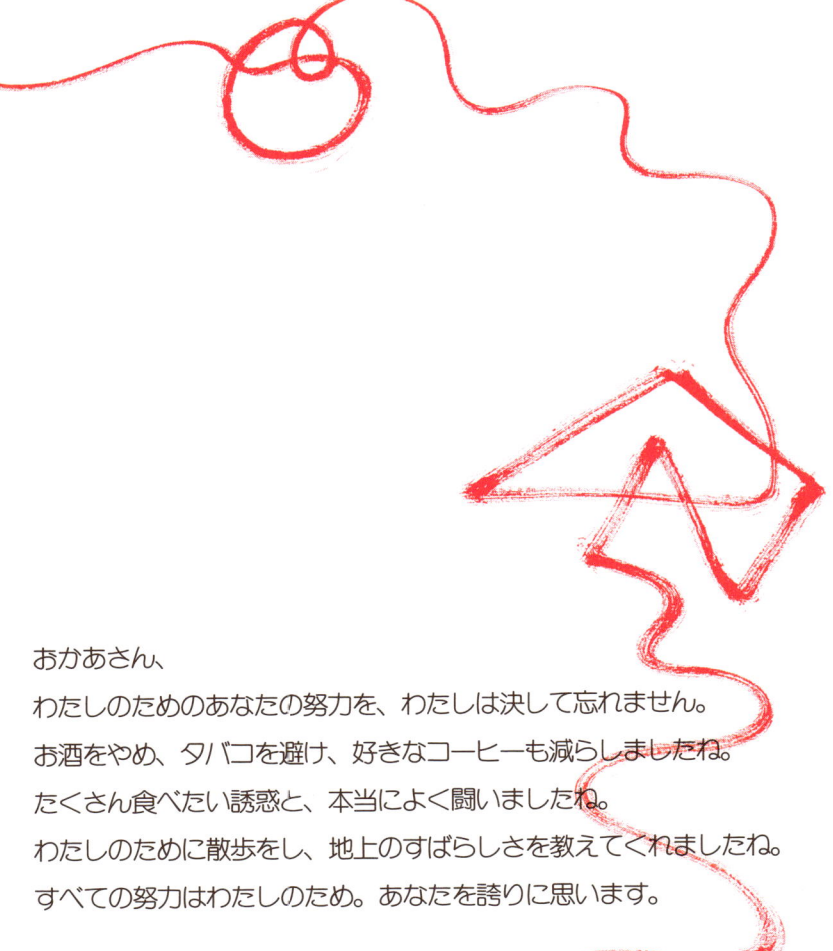

おかあさん、
わたしのためのあなたの努力を、わたしは決して忘れません。
お酒をやめ、タバコを避け、好きなコーヒーも減らしましたね。
たくさん食べたい誘惑と、本当によく闘いましたね。
わたしのために散歩をし、地上のすばらしさを教えてくれましたね。
すべての努力はわたしのため。あなたを誇りに思います。

おかあさん、
あなたの期待の大きさに、ちょっぴり不安を感じます。
初めての日に、わたしはどのように迎えられるのでしょうか？
わたしの顔はあなたをがっかりさせるでしょうか？
わたしの身体はあなたに軽蔑されるでしょうか？
わたしの性格にあなたはため息をつくでしょうか？

わたしのすべては、神様とあなたたちからのプレゼント。
わたしはこころよく受け入れました。
きっとこんなわたしが、いちばん愛されると信じたから。

おかあさん、
あなたにまみえる日はまもなくです。
その日を思うと、わたしは喜びに満たされます。

わたしといっしょに、お産をしましょう。
わたしがあなたを励まします。
あなたの意志で回ります。
あなたのイメージでおりてきます。
わたしはあなたをこよなく愛し、信頼しています。

おとうさん、
あなたに抱かれる日はまもなくです。
その日を思うと、わたしの胸は高鳴ります。

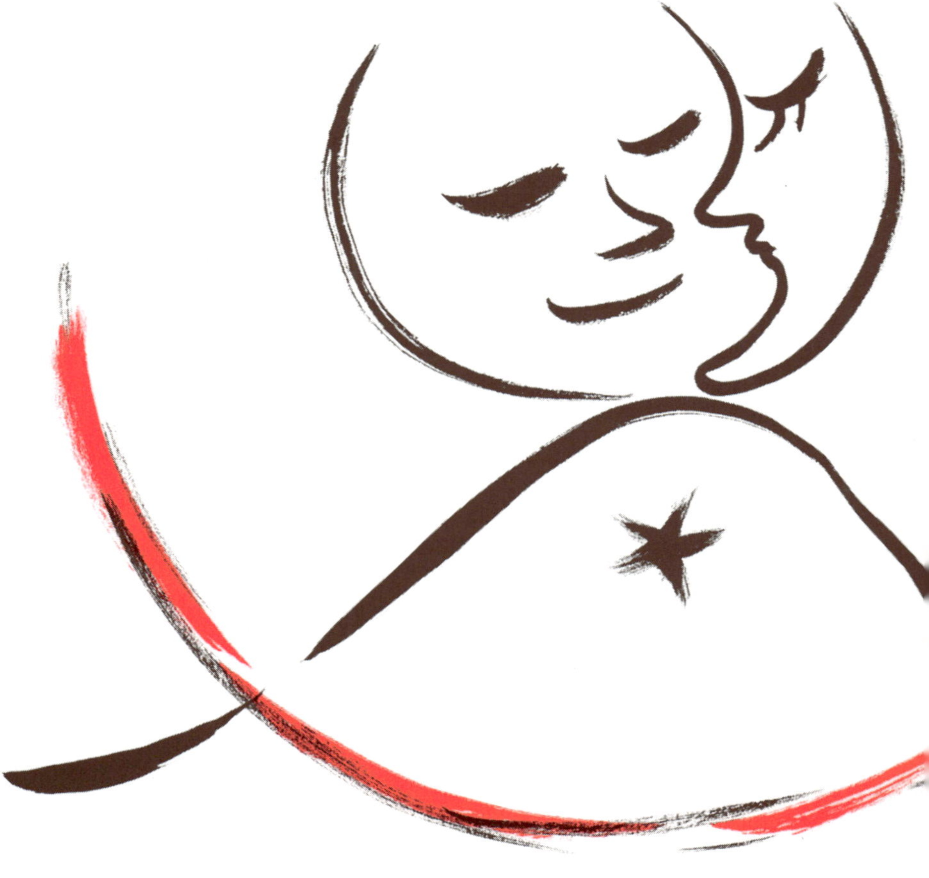

わたしたちといっしょに、

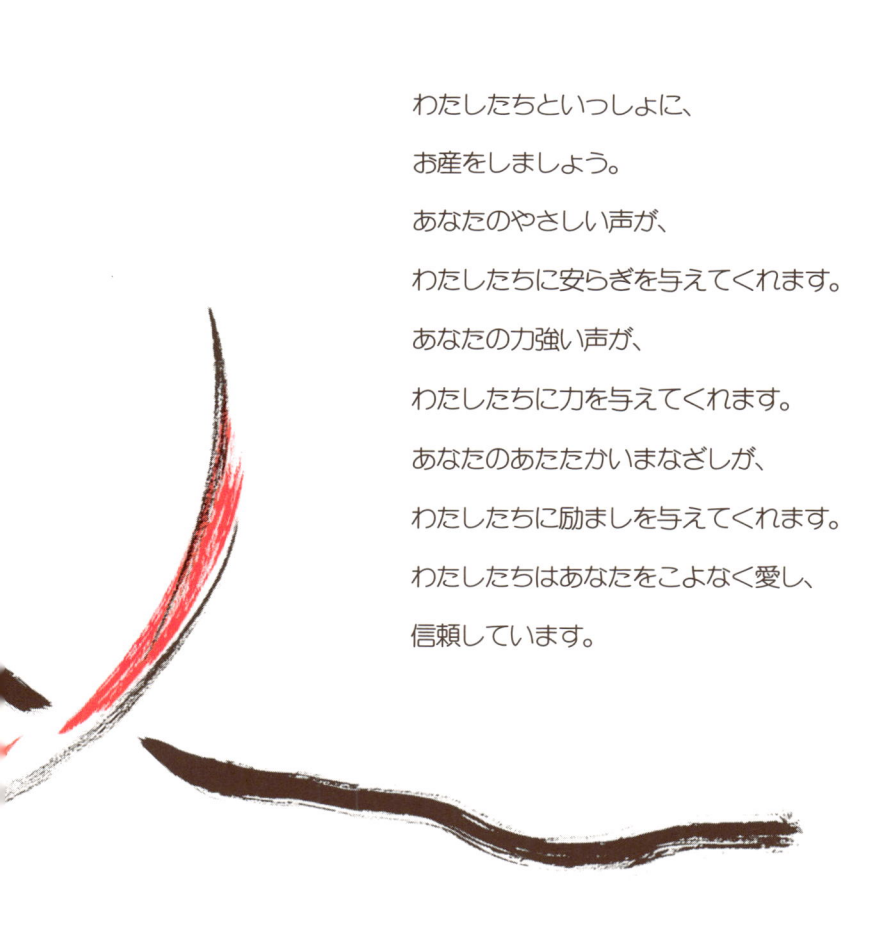

お産をしましょう。

あなたのやさしい声が、

わたしたちに安らぎを与えてくれます。

あなたの力強い声が、

わたしたちに力を与えてくれます。

あなたのあたたかいまなざしが、

わたしたちに励ましを与えてくれます。

わたしたちはあなたをこよなく愛し、

信頼しています。

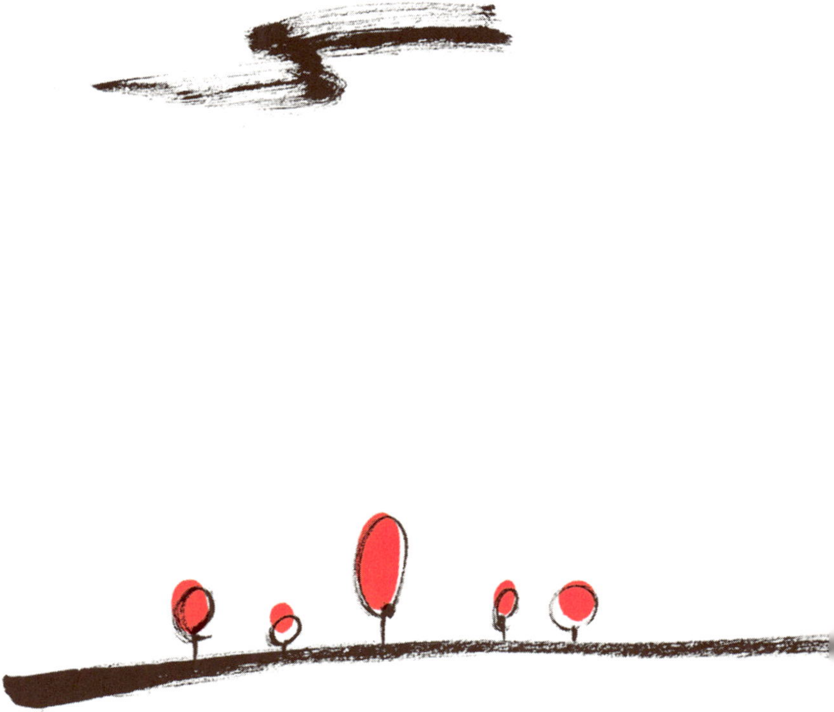

おとうさん、おかあさん、
あなたたちのことを、こう、呼ばせてください。

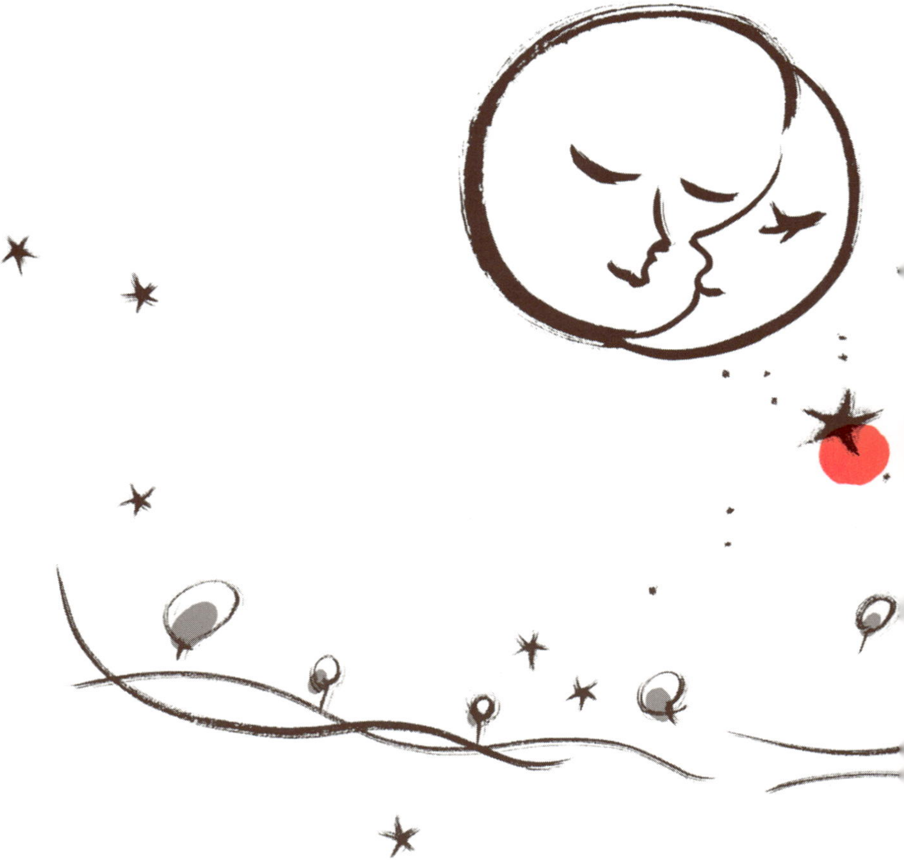

あなたたちが仲睦まじく結び合っている姿を見て、
わたしは地上におりる決心をしました。
きっと、わたしの人生を豊かなものにしてくれると感じたからです。

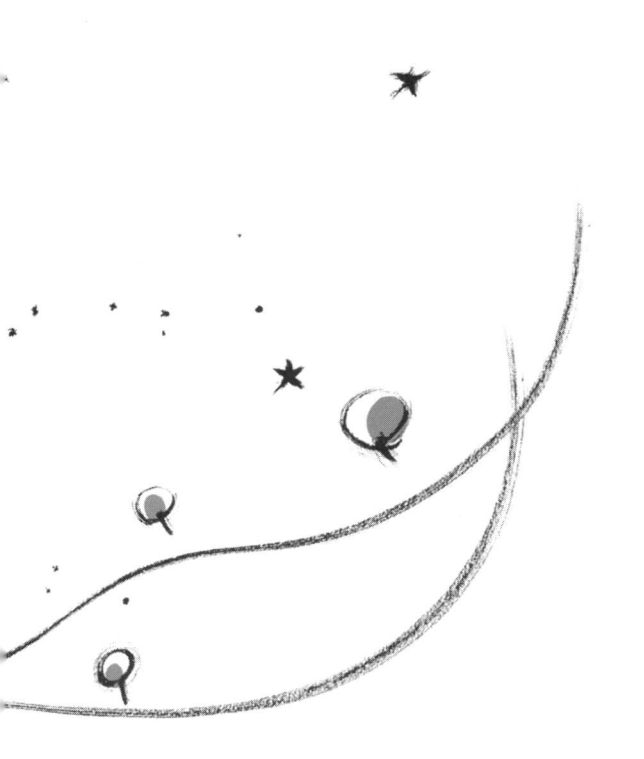

おとうさん、おかあさん、
今、わたしは思っています。
わたしの選びは正しかった、と。

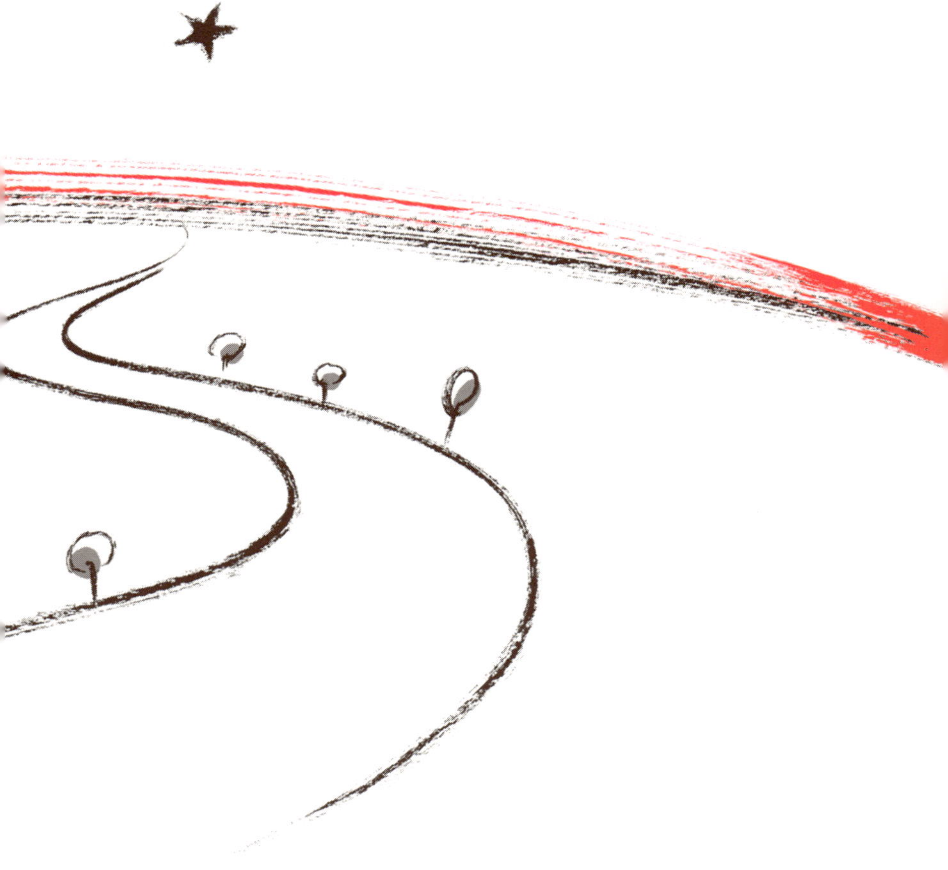

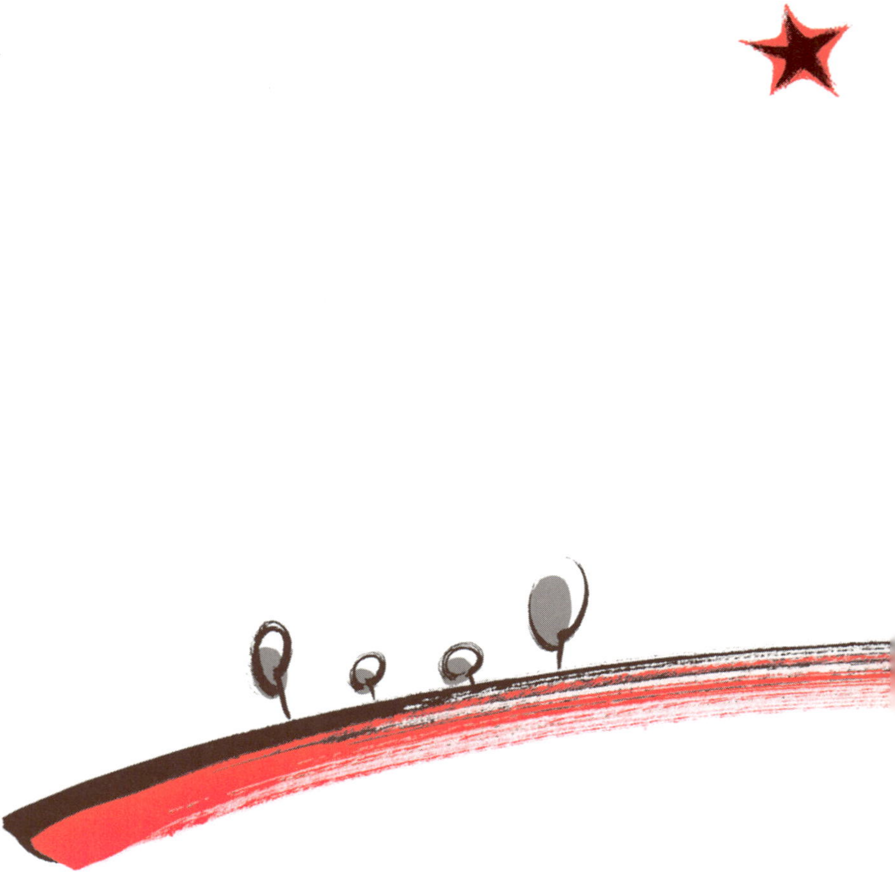

わたしがあなたたちを選びました。

## あとがき

　1990年、中国の気功法を応用し、イメージと腹式呼吸を駆使しながら徹底しておなかの赤ちゃんを思いながらの出産をめざす「リーブ法」の開発に携わっていたときのことです。

　その夜も家族が寝静まってから、妊婦さんたちがおなかの赤ちゃんをもっと実感できる方法はないかと、部屋で一人で思いをめぐらせていました。しんと静まり返った真っ暗な空間。「お母さんの子宮の中はこんな感じなのだろうか。」そう思った瞬間に、次から次へとことばがあふれ出てきたのです。このとき生まれたのが「わたしがあなたを選びました」でした。10年あまり、お産の現場でお母さんたちのさまざまな経験に接して感じ、蓄積していた思いを、一夜にして湧き上がった感情により描出したものでした。

　詩のコピーは、折にふれ、妊娠の継続を悩む人、つわりや切迫流早産で苦しむ人、障害児を出産した人など、さまざまな問題で思い悩むかたにお渡ししたり、母親学級で朗読したりして紹介してきました。コピーは手から手へ全国を独り歩きしたようで、妊婦さんの

みならず、育児中のお父さんお母さん、助産師さん、保育士さん、教育関係者などなど、実に幅広いかたがたから途絶えることなく感謝の手紙が舞い込み続けました。

　このことばに、植野ゆかりさんが素敵な絵をつけてくださり、さらに深く広く豊かにイメージを膨らませてくれる絵本になりました。

　妊娠期間は、普段意識することのなかった「いのち」の強さを改めて実感する時期です。今日まで生きてきたことに感謝し、両親に対して「産んでくれてありがとう」と心から思えるのも、まだ見ぬ「いのち」のおかげです。今、世の中ではこのような思いを忘れてしまった大人や子供たちに関する悲しい話が増えています。「いのちを粗末にするな」と他人事のように言うのは簡単でも、それを真正面から向き合って伝えることができる人と人との絆すら、見失ってはいないでしょうか。

　自分はどこから生まれてきたのか、なぜ生まれてきたのか、どうしてここにいるのか、見つめ直す一助になれば、うれしく思います。

2003年7月　　鮫島浩二

### 鮫島浩二（さめじま こうじ）

産婦人科医。東京医科大学卒業後、東京警察病院、中山産婦人科クリニックなどをへて、現在さめじまボンディングクリニック（埼玉県熊谷市）院長。妊婦さん自身が主体になるお産を実践している。また、お産の現場にアロマセラピーを導入するための啓蒙活動や、親と子をはじめとした、人と人の絆づくりを助ける活動なども積極的に行っている。2000年、国際ボンディング協会を設立。3男の父。

### 絵・植野ゆかり（うえの ゆかり）

多摩美術大学卒業後、イラスト、グラフィックデザインの仕事を手がける。3男1女の母。

### わたしがあなたを選(えら)びました

平成15年 8月20日　第1刷発行
令和6年 4月20日　第48刷発行

著　者　鮫島浩二(サメジマコウジ)
発行者　平野健一
発行所　株式会社主婦の友社
　　　　〒141-0021　東京都品川区上大崎3-1-1目黒セントラルスクエア
　　　　電話03-5280-7537(内容・不良品等のお問い合わせ)
　　　　　　049-259-1236(販売)
印刷所　共同印刷株式会社
©Koji Samejima 2003　Printed in Japan
ISBN978-4-07-240017-3

本のご注文は、お近くの書店または主婦の友社コールセンター（電話 0120-916-892）まで。
＊お問い合わせ受付時間　月～金（祝日を除く）10:00～16:00
＊個人のお客さまからのよくある質問のご案内
　https://shufunotomo.co.jp/faq/

R〈日本複製権センター委託出版物〉
本書を無断で複写複製(電子化を含む)することは、著作権法上の例外を除き、禁じられています。本書をコピーされる場合は、事前に公益社団法人日本複製権センター（JRRC）の許諾を受けてください。また本書を代行業者等の第三者に依頼してスキャンやデジタル化することは、たとえ個人や家庭内での利用であっても一切認められておりません。
JRRC〈https://jrrc.or.jp
eメール：jrrc_info@jrrc.or.jp　☎03-6809-1281〉